79850

D0830718

© Uitgeverij Zwijsen Algemeen B.V.
Tilburg,1993,
titre original : *De prins en de slak.*
© ÉDITEUROP
P.A. Bois Chamaillard. Bessines
BP76 79003 Niort
pour l'édition française.
Dépôt légal : mars 1998.
Bibliothèque nationale.
ISBN 2-84386-006-7.

Exclusivité au Canada :
© Éditions HURTUBISE HMH
1815, avenue De Lorimier
Montréal (Québec)
H2K 3W6 Canada.
Dépôt légal : 2e trimestre 1998.
Bibliothèque nationale du Québec,
Bibliothèque nationale du Canada.
ISBN 2-89428-276-1.

Loi n° 49-956 du 16 juillet 1949
sur les publications destinées à la jeunesse.

Imprimé en CEE.

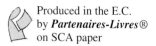

Produced in the E.C.
by *Partenaires-Livres*®
on SCA paper

Trois princes
et une limace

Une histoire racontée par
Hans Hagen
et illustrée par
Philip Hopman

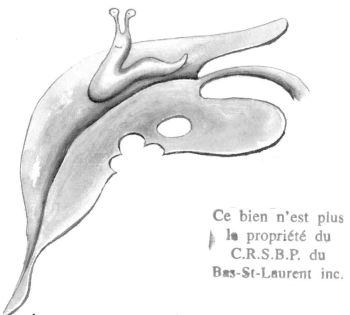

Éditeurop • Hurtubise HMH

Table des matières

1. Les trois princes

Le roi est dans sa chambre ;
il se repose, allongé dans son lit.
« Je suis vieux et malade », pense-t-il
en fixant la flamme dorée de la bougie.

Le roi tend la main vers la bougie.
Il aime en sentir la chaleur.
Soudain, la petite flamme vacille :
les trois princes viennent d'ouvrir
la porte. Avec respect, ils se tiennent
à l'entrée de la chambre royale.
« Bonjour, mes fils ! Je vous attendais,
murmure le roi.
– Que se passe-t-il ? demande l'aîné des fils.
– Pourquoi nous avoir rassemblés
tous les trois ? » interroge le cadet.
Le benjamin, lui, se dirige doucement
vers son père pour l'embrasser.
« Je désire vous parler, dit le roi, mais avant,
j'aimerais que vous transportiez mon lit
dehors. Je veux sentir la chaleur du soleil
et contempler l'étang de mon parc.
– Oui, père », répondent les trois princes.
L'aîné soulève le lit royal aidé de son cadet,
tandis que le benjamin prend la main
de son père.

2. La voix

Installé dans le jardin,
le roi entend, au loin, une voix
que le vent porte jusqu'à lui :
« *Sire ! Sire !*…
– Qui m'appelle ainsi ?
s'étonne le roi en frissonnant.
C'est certainement la mort, pense-t-il.
Je ne veux pas entendre son message
maintenant. J'ai encore une chose
importante à faire ici. »

« Mes fils, je suis malade,
dit le roi. Et je dois
sans tarder nommer
un successeur
pour le royaume.
– Je serai roi ! Je suis le plus âgé,
affirme l'aîné de ses fils.
– Ah, non ! réplique le cadet.
De nous trois, c'est moi le plus grand ! »
Le benjamin reste silencieux
et s'approche du chevet de son père.
« Deux rois, c'est impossible !
déclare le monarque.
Le royaume est trop petit !
Mais comment choisir
parmi mes trois fils ? »

3. Un sage conseil

Le roi garde les paupières fermées.
Inquiets, les trois princes se penchent
sur son lit. Le benjamin effleure
de sa main le front de son père.
Le roi ouvre alors les yeux :
« Je ne suis pas encore mort !
Je songeais au passé !

Autrefois, dans ce même jardin,
mon père m'a expliqué qu'un roi
ne pense jamais à lui. S'il le faut,
il donne même tout ce qu'il possède.
– J'ai compris ! déclare l'aîné. Ainsi,
je te laisse la couronne, ajoute-t-il
en se tournant vers son cadet.
– Merveilleux ! s'écrie celui-ci.
Je l'accepte ! »

L'aîné devient rouge de colère :
« Ce n'est pas comme cela
que réagit un bon roi !
Lorsque je te propose la couronne,
tu dois la refuser pour me la laisser. »

4. Jeunes et têtus

Le roi, fatigué, regarde ses trois fils
et leur tend la main.
« Je vous aime tous les trois,
autant les uns que les autres.
Mais mon devoir est de désigner
un seul successeur qui montera
sur le trône. »

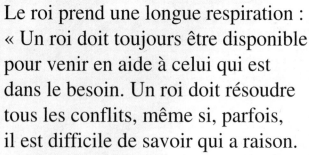

Le roi prend une longue respiration :
« Un roi doit toujours être disponible
pour venir en aide à celui qui est
dans le besoin. Un roi doit résoudre
tous les conflits, même si, parfois,
il est difficile de savoir qui a raison.
– C'est mon cas,
dit l'aîné.
– Pas du tout !
c'est tout à fait moi »,
réplique le cadet.

Le benjamin hausse les épaules.
« Ils sont jeunes et impulsifs,
pense le roi, mais encore plus têtus.
Ils n'arriveront jamais
à se mettre d'accord. »

5. J'ai soif !

« J'ai très soif !
gémit le roi.
Apportez-moi à boire.
– Je cours chercher
du vin, dit l'aîné.
– Mais, non !
rétorque le cadet.
Père préfère
la bière. Je vais
lui en apporter.
– Que désirez-vous boire,
père ? propose le benjamin.
– J'aimerais un verre d'eau
du puits ! »
Et voilà le dernier fils parti
derrière ses deux frères.
Le roi, resté seul, entend
de nouveau la mystérieuse voix :
« *Sire, viens avec moi ! Je t'attends !*
– Encore un moment ! proteste le roi.
Je n'ai toujours pas rempli
ma dernière tâche. »

Le roi se tourne vers l'étang,
et contemple ce ravissant paysage :
les roseaux, les fleurs, les poissons
argentés qui glissent à la surface…
À quelques pas de la rive,
une petite limace rampe droit vers l'eau.
« Limace, arrête-toi ! crie le roi.
Tu vas te noyer ! »
Mais la petite limace continue
d'avancer lentement dans l'herbe.

Le roi réfléchit un moment.
Puis, il plonge sa main sous
les couvertures et en ressort
un coffret plein de perles.

Les princes sont maintenant
revenus, et le roi leur dit :
« Écoutez-moi bien et
faites ce que je vous demande.
Je vais lancer ces perles
dans l'herbe. Cherchez-les,
et celui de vous trois
qui retrouvera la plus belle
deviendra roi. »
Le roi joint le geste à la parole
et une pluie de perles scintille
dans le ciel.
L'aîné des princes court à gauche,
le cadet s'élance sur la droite.
Quant au benjamin,
il plonge dans l'herbe.

21

6. La plus belle perle

L'aîné se relève enfin, couvert d'herbe
et de poussière.
Ses poches sont remplies de perles,
mais il en présente une fièrement :
« C'est la plus grosse ! s'écrie-t-il.
Je suis le roi !
– Ah, non ! dit le cadet. C'est moi !
J'ai trouvé la plus belle. »
Et il ouvre la main, découvrant une perle
si brillante qu'elle illumine son visage.
« Et toi, demande le roi au benjamin.
Montre-nous ce que tu caches
dans la main.
– Je… Je n'ai rien, balbutie le benjamin.
– Allez ! Ouvre la main ! » ordonne le roi.

En apercevant, non une perle,
mais une petite limace gluante
dans le creux de la main de leur frère,
les deux autres princes éclatent de rire.
« Quel imbécile ! »
s'écrient-ils ensemble.

Le roi ôte la couronne de sa tête.
« Désormais je sais qui portera
cette noble couronne. »
Puis, s'adressant à son dernier fils :
« Tu as sauvé cette petite limace
qui allait se noyer dans l'étang.
Tu es digne d'être roi. »
Le benjamin baisse humblement la tête.
Le roi s'approche et y dépose la couronne.
« Prends soin des animaux, des humains
et veille sur tes frères.
Offre ce que tu peux donner.
Écoute l'avis de chacun
et tu feras un bon roi. »
Le vieux roi est soulagé :
il s'est libéré de sa tâche.
Le royaume a désormais
un nouveau roi.
Le roi entend à nouveau
la voix :
« *Sire ! Sire ! Je t'attends !* »
Le roi regarde le ciel.
« Je suis prêt maintenant »,
murmure-t-il.

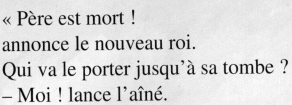

« Père est mort !
annonce le nouveau roi.
Qui va le porter jusqu'à sa tombe ?
– Moi ! lance l'aîné.
– Ah, non ! renchérit le cadet. C'est moi !
– Nous irons tous les trois ensemble »,
déclare le jeune roi.

Collection Étoile

Une poule à l'école

En route pour l'école, Théo rencontre Picotte, une petite poule perdue dans la foule. Théo installe Picotte sur sa bicyclette et l'emmène avec lui. Une poule à l'école, à la piscine, au supermarché, cela risque d'être drôle !

Le petit pont

Jules et Jim habitent de chaque côté du pont, un pont si petit qu'on ne peut le traverser à deux. Aujourd'hui, Jules et Jim sont pressés et veulent franchir le pont en même temps. Qui passera le premier ? Aussi bête et têtu l'un que l'autre, Jules et Jim parviendront-ils à passer le pont.

Le monstre gourmand

La vie de Gilles est devenue un vrai cauchemar ! Toutes les nuits, un monstre l'empêche de dormir et l'oblige à vider le réfrigérateur afin de satisfaire sa faim. Gilles a peur. Et personne ne veut croire à son histoire de monstre gourmand.

Le bric-à-brac de Jacques

Quelle pagaille chez Jacques ! Avec tout ce bric-à-brac, il n'a plus la place de bouger. Un grand ménage s'impose. Mais que faire de cette chaise, de ce vase, de ce vieux coffre et de ce tableau ? Pour donner une nouvelle vie à ces objets, Jacques a bien des idées, mais….

Trois princes et une limace

Le vieux roi est malade. Le moment est venu pour lui de désigner un héritier au royaume. Lequel de ces trois princes ferait un bon successeur ? Le roi va tenter de les départager en les mettant à l'épreuve. Qui aurait pensé que leur sort dépendait d'une limace ?

Du rififi chez les poux

C'est la panique dans la famille Pou ! Un assaut de peigne et de shampooing antipou qui pique les oblige à trouver une meilleure cachette que les cheveux de Marie-Lou…